ひな菊の人生

吉本ばなな

JN263560

ひな菊の人生

目次

挿画・奈良美智

本文デザイン・中島英樹

崖の途中の家の夢

それがいかに不思議なことであっても、あまりにありふれた日常の中に溶け込んでいるとなんとも思わないもので、意味づけさえしなくなる。時々そういうことがある。TVを観ながら軽い気持ちではじめたトランプ占いで何回も同じカードが出てしまったり、散歩の間に割れた鏡を三回も見てしまったり、そういうことだ。

私は、幼なじみのダリアという女の子と十一歳のときに別れてからずっと、年に一回くらいは彼女の夢を見続けていた。彼女は再婚したお母さんについてブラジルに行った。文通もとうにとぎれ、電話もしない。なのに、彼女の夢を見続けてきた。いつも同じような夢だった。ダリアに対する執着もとうになくなっているのに、私はその夢を見ると安心した。夢の空気があまりにも至福に包まれているので、ダリアがどこかで元気にいると心から思えた。私には、どこかで元気にやっているといいと思える人が他にいない。だから、その感情が胸の中で暖かくうずまくだけで、私は幸福になった。

ダリアの夢は、だいたいいつも同じような夢だった。それは夢というよりも、なんらかの形で時間や空間を超えて、もう一回昔にあったことの中に戻るだけのことに思えた。子供だった私の体の中に入って、ある夜を過ごすだけ。でも、夢でなければ決して実現できないことには違いなかった。

その夢の中では私は、子供の頃住んでいたおじさんの家にいる。今はもうとっくになくなって家が建ち並んでいるが、その頃家の裏は雑木林で、よく夜、私は林の向こう側に住んでいるダリアを呼び出してそこで会った。

たとえ過去を再現しただけのものであっても、夢なので感受性が全開になっていて、現実の思い出の百倍くらい音や色や感情に迫力がある。

いつもその夢を見るときには枯れ葉の匂いがする。いつも夜だ。土と、香ばしい秋の風のエッセンスと、乾いた空気が作り出した枯れ葉のじゅうたんの上に私は立っていた。あたりは月明かりでうっすら明るく、街灯がところどころに立っていて、そこだけが強烈に光って見える。星も、ダイヤモンドのように激しくまたたいていた。風が吹くごとに、枯れ葉が微妙な、かすかな音を立ててまるで水の中を流れていくように、地面の上と、空中を舞っていった。

私は子供である上に居候《いそうろう》だったので、おじさん夫婦の留守に電話を使うことを自分に禁じていた。ひとつ甘えたら、自分の中の甘えが体を食い破って外に飛び出し、その流れに飲み込まれて私の大切にしているものは全て失われるだろう、と子供心に私は知っていた。

だから、ダリアを呼び出すとき、私はいつも、小学校で使っていたたて笛を鳴らした。

私は笛を吹く。その素朴な音色《ねいろ》は、まるで足音が枯れ葉を踏んでいくように、ダリアの耳に、届いた。子供は夜、留守にすることがないものだから、たいていはダリアはそれを聞きつけてやってきた。

林の木々の中に音が流れてゆくとき、私はどうして音符はあの表記で、五線紙に書かれるのかよくわかった。笛の音は、私の肉声よりもよっぽど肉体的な気がした。音と心がひとつになるために楽器はあるのだと思った。

すると、ダリアは、子供の頃の姿のままで、真っ黒に日焼けしてにこにこ笑いながら、枯れ葉をかきわけて猛ダッシュで走ってくる。その姿を見ると、私はすごい幸福感で胸がいっぱいになった。

それから、私たちはしばらく林の中で遊んで、たいていはダリアのお母さんがやっているスナックに遊びに行くか、私のおじさんとおばさんがやっているお好み焼き屋まで歩いて行く。二人で行けば、しかられることはない。

夜の長くつらい時間を、大人たちに混じって特別な子供としてしのぐことができた。

私の、あまりすばらしかったとはいえない子供時代の唯一の楽しい記憶がダリアだった。定期的に見るその夢は、私のたったひとつのアルバムのようなものだった。

そして二十五になって数ヵ月のある朝、私は気づいた。このところずっと、ダリアの夢を見ていないということに。

私は愕然《がくぜん》とし、もしや二十五というのは、本当に大人になる歳《とし》だということなのだろうか、と思った。脳の中でなにかが切り替わって、もう幼い頃の縁はすっかり切れる歳なのかもしれないと思った。その夢は私の娯楽だったから、なくなると思うと少しがっかりした。

その午後は忙しく、私は休む間もなく焼きそばを焼き続けた。

手間がかかるのでランチタイムにはお好み焼きは出さず、焼きそばだけにしていた。そしてたいていの日、私がランチを担当していた。なぜ昼間から焼きそばを食べようという人がこんなにいるんだろう、と私はよく思った。うちの店は真ん中に大きな鉄板があり、それをぐるりと囲む形で客席がある。そして、注文されたものを店の人が焼いて、お客さんの前に押し出す。つまり、私の焼きそば作りのパフォーマンスを、お客さんにお見せしているわけだ。昔は緊張したが、今ではどんな失敗も、なかったことのようにごまかすことができる。一度は考えごとをしていて油もひかずに具を焼きはじめてしまったが、さりげなくとなりで油を温めてごまかした。顔に出さないのがこつだった。あまりにもたくさんの焼きそばを焼いてきたので、私はどんなにおなかが空《す》いていても決して焼きそばを食べたいと思わない。もう一生分の焼きそばを私は見た。目でずっと味を感じ続けていた。

それでも、ランチの時間には夜には決して来ない類《たぐい》の人たちがやってきて、私は楽しかった。ひとりで来て、昼からビールを飲むおじさん、大量に食べるOLたち、近所の主婦たち。若いお母さんと小さい子供。そんないろいろな人間の種類が、同じ食べ物、しかも「焼きそば」という独特なものを、並んでもくもくと食べている様子が面白かった。

表に準備中の札を出して、お客さんがじょじょに帰ってゆき、手分けして掃除をして、アルバイトの大学生を帰して、やっと店は静かになる。さっきまでのがやがやとした雰囲気の余韻が焼きそばの匂いとともに店にうずまいている。

店の奥であんぱんを食べていたら、おばさんがとなりに来た。彼女は焼きそばをいやになることはないらしく、自分の食べる分の焼きそばを焼いて持ってきた。私はもう決して焼きそばをそういうふうに食べるものだと思うことはない。見た目がどうなったかだけは気になるから、生花を見ているとき

のような感じだ。おばさんが焼くと私よりもいつもしっとりして見えるな、と私は思った。

もうとっくにおじさん夫婦の家を出たが、高校生になるくらいまではずっと一緒に暮らしてきたから、特におばさんとしゃべることはない。おばさんは死んだ母の妹だが、母には全然似ていない。しかし時々、厨房《ちゅうぼう》に一緒にいて私のうしろでおばさんが作業をしているとき、母と働いているような錯覚をすることがある。声を聞いたり姿を見ているときはそんなことはないのだが、黙っているとその気配は、母のものとあまりにもよく似ているのがとても不思議だった。

二人は黙ってそれぞれの昼食を終え、店のTVを観ていた。ガラス戸の向こうの午後の町には時々通行人が通っていく。

「おばさん、よく見る夢を急に見なくなって、不安になったことってある?」

私はお茶を淹《い》れながら言った。

「あたしそういうのって大嫌い。縁起かつぐってことでしょ。」

おばさんは言った。

「おばさんって、どういう夢見るの？」

私は興味を持ち、たずねた。

「夢は自由よ。キリンとか、あんこうとか出てくるしね。エンパイヤステートビルっていうの？　あれとか。恋愛もね。」

「そうなの。」

「人の心って、奥が深いわよね。昼間、思ってもいなかったことがどんどん出てくる。」

おばさんは言った。

「そうね。」

私は平静を装って言ったが、内心では爆笑していた。人の数だけ世界はあるんだな、と思っていた。もっとくわしく聞きたい気もしたが、いくら聞いても同じなような気もしてやめた。TVのワイドショーの音が低く流れていた。空はどんよりと曇っていて、雲はあらゆる灰色をあふれんばかりにたたえて遠くまでずっと続いていた。

「雨が降りそうね、傘持って出たほうがいいわ。」

おばさんは言った。

その夜、夢の入り口で、枯れ葉の匂いと秋の風を感じた。ああよかった、いつもの、ダリアの夢だ、と私は思った。

しかし、それから見た夢は全然違ったので驚いた。

その家は多分別荘として建てられたもので、海が見える山の中腹にあった。家のすぐうしろは切り立った崖《がけ》だった。玄関は崖側にあって、玄関の脇の窓には山肌が迫っていた。斜面の岩の濃い灰色…崖崩れをふせぐための古びた金網がそれを覆っていた。

玄関を入るとまず正面に、大きなテーブルがあった。木目がはっきりと見える分厚いしっかりとした板でできていて、十人は食事ができそうだった。

そのうしろには、そのテーブルの重厚さとは全然そぐわない、はしごみたいなちゃちな階段があった。その階段のさらに奥に、暖炉があった。その暖炉は長い間使われていない様子で、木や紙が燃えた後のかすや灰がたまっていて、その上には古い雑誌が積み重ねてあった。

幅のせまい急なその階段を昇って二階に行くと、二階の屋根は斜めになっていて、がらんとした廃墟みたいな板の間があった。それから廊下に小さなドアがあり、物置かと思って開けて見たら、小さなベッドがぎっしりと置いてある小部屋だった。それから、廊下のいちばん奥には、だだっ広いバルコニー。そこからははるか下のほう、とても遠くに、鈍く灰色に光る海と、湾が見えた。

私はその暗く打ち捨てられた奇妙な家の中で、途方に暮れてうろついている。家の中には誰もいない。どうして自分がそこにいるのかもさっぱりわからない。ほこりと、かびと、古い紙の匂いが頭をまひさせる。蜘蛛《くも》の巣もある。足の裏が真っ黒になる。私は早く出たい、と思うのだが、どうしてそこにいるのかを知りたくもある。電話をかけようと思うのだが、その家の中にある黒くて古い電話機の重い受話器を何回持ち上げて耳にあてても音はしない。冷たい感触が耳にしみてくるだけだった。

電気がつかないその荒れ果てた家の中にやがて月光が忍び込んできて、驚くほどの早さで夜が家中に満ちてきた。

私はとぼとぼと二階に上がって行って、バルコニーに出て暗い海を見つめた。湾に沿って、真珠のように町や船の明かりがちりばめられていた。潮風が私の長い髪の毛をめちゃくちゃに巻き上げても、私はその明かりを見つめていたかった。きっと、あの明かりのあるところには人の暮らしがある。夜がやってきて、皆仕事を終えて家路を急いでいるのだろう、と私は恋しく思った。その雰囲気から、私はあまりにもかけはなれた気持ちの中にいた。環境だけではなく、私はそのとき、知っている人たちや育ってきた町からあらゆる意味で遠くにいるような気がした。今までに味わったことのない種類の孤独が月の光と同じ匂いをもって、私の全身をひたしていた。きっと、皆仕事を終えてバスや電車に乗り、同じ空を見上げている。あるいはもう家にたどり着いて夕げのときを迎えている。いろいろな店も最高に活気づくときだ。くつろぐときを楽しみにしてきた人たちが、長い夜のはじめに今夜最初の一杯を飲むべく乾杯をしている時刻…世界中どこに行っても見ることができるなんていうこともない風景が、あの、港の明かりのところまで行けば繰り広げられている、と私は思った。自分の中にこんな激しい感情が眠っていたのか、と驚くほど、見知らぬ人々の日々の営みを愛《いと》おしく思った。

そしてきっと、私の住んでいる町では、私が一日のうちいちばん好きな時間が等しく訪れている。けだるい午後の休み時間が終わって、空が暗くなって、おばさんが店先を掃除して、のれんを表に出す時間だ。私は店の中を整理して、調理用具を磨いて、常連が店にたどり着くのを、はじめの「いらっしゃいませ」を発音する瞬間を、わくわくして待つ。あの、店中に電気がついて、店中が人を待っている瞬間の感じが、なにより好きだった。私の唯一の家、暖かさやにぎやかさの象徴。会いたい人々に会えるところ。帰りたい、と私は思う。

しかし海は遠くにちらちら光るばかりで、その活気が届くことはない。私は知っていた。もう永久にこの淋しい家を出ることはないだろうと。悔やんでいるということはなかったが、店で過ごしてきたすばらしかった時間のことを思うと切なかった。私はあきらめ、潮風の匂いを体中にしみこませて、家の中に戻ってゆく。廊下にはさらに、あふれるほどの、手で触ることができそうなくらいに白く輝く月の光が窓の形をくっきりと冷たい床に刻み込んでいる。私は小部屋に入った。天井の物入れのふたがだらりと開いて、小さなベッドの上にたれ下がっていた。中からは毛布や古い雑誌がはみ出していた。私はそれらを適当にどけて、そのかび臭いむき出しのベッドに横たわった。そして、まるでそうしなくてはいけないかのように、目をつぶった。

目を覚ましたら、涙が出ていた。そしてまだ、月の光や潮の匂いが体を取り巻いている気がした。

私をのぞき込んでいた高春と目が合った。彼は言った。

「こわいよ、ひな菊。今、なんの夢見てた？」

彼は言った。

「知らない家の夢。」

私は言った。

「だって、死体が、死体がって言ってたよ。」

「死体なんて、出てきてない。」

「おかしいな、そう言ってうなされてたぞ。」

「いろいろな夢を見ていたのかも。」

私は言った。なぜだろう、私は思った。はっきりと、おぼえていた。あの淋しい家の映像、遠くの海の色、暮れてゆく空の色…。ダリアの夢ではなかった。ダリアになにかあったのだろうか、と私は思ったが、確かめるすべもなく、一日をはじめるしかなかった。せめて、今日もあの鉄板の前に立ち、働けることをいつもの何百倍も幸運に思いながら。

その夢を見るまで、夢の中でもうあそこに戻れないという気持ちを味わうまでは、自分があんなにまで狂おしく日々の営みを愛していることを、自分でも知らなかったからだ。

居候生活

夢の余韻が体を支配していて、なかなか現実に戻ってくることができなかった。高春が淹れてくれたコーヒーを飲んで、ぼんやりしていた。外は恐ろしいくらい晴れていた。

私が高春のところに居候するようになったのは、ここ二ヵ月のことだった。高春が「これから夏だというのにクーラーがこわれている」という話をしたのをきっかけに、しばらくただでいさせてくれるということになった。

本当は、私が新しい部屋を探して引っ越すまでの間、高春は留守にしているはずだった。高春の旅行中にクーラー取り付け、植物の世話、留守番という三つの仕事をするからこそ、ただで住まわせてもらえるはずだった。

彼の実家はうちの店と取り引きしている隣町の食料品店で、彼が手伝うようになってからは、日本の優れた食材だけでなく、輸入食材も扱うしゃれた店になりつつあった。昔から彼の存在は知っていたが、別に幼なじみでもなんでもなく、彼が店の実権をにぎるようになってから知り合った。互いの店に行ったり来たりしていたからずっと、仲のいい知り合いという感じだった。もちろん二人だけで会ったことは一度もなかった。なのにどうしてこんな運びになったのかはよくわからない。

彼のお父さんは趣味の人で、日本中を旅しておいしいと感じたものだけを店に置いていた。ほとんど家に戻らないほど旅に熱中して、数年前、奥さん、つまり高春のお母さん、に逃げられた。そのごたごたにうんざりして、高春は家を出たそうだ。

私はものを取り寄せてまで飲み食いするのが好きではないのであまり興味がなかったが、実際、彼の店の小海老《こえび》や山芋《やまいも》でないとうちの店の味は落ちた。近所のスーパーで買ってきたものと比べて何回も実験したが、間違いなかった。焼きそばもソースも彼のお父さんのおすすめのものに切り替えてから人気が上がった。当然、彼の店はいつも繁盛していて、今や、うちではおじさんもおばさんもアドバイザーとしての彼のお父さんを信頼していた。

もとはコックを目指していた高春はいろいろな国の食べ物や調味料にとても興味があり、本当は今回もイタリアに二、三ヵ月行っていろいろな店を見てまわる予定だったそうだ。しかしなぜか旅立つ前日に友達と遊びでサッカーをしていて足の指を骨折し、予定が先に延びてしまった。

私は気づまりだから置いてくれなくてもいい、と言ったのだが、困ったときはお互いさまだから、と言って彼は私を呼んでくれた。それに、治って時間ができ次第旅立つから、気にしないでいいと言った。私目当てなのか、クーラー目当てなのか、それとも本当にいい人なのかわからなかったが、今のところ同じ部屋にいてもなにもないから、多分後の二つのうちどちらかなのだろうと思った。

まだ、朝の八時だった。彼と暮らして困ることは彼がものすごく早起きだというところだった。いいところは、今まであまり味わうことがなかった朝の美しさを思い出したことだった。午前中の光の独特の透明さや、時間がゆっくり過ぎて行くことを久しぶりに味わった。店に行くまでに、なにか柔らかくて暖かいものが胸の中に宿り、その養分で一日を静かに過ごすことができた。この部屋の窓からは木が見える。大家さんが庭を掃除している音が聞こえてくる。

おじさんの家の裏の林があった頃は、ダリアがいなくなってからもよく私は林で朝を過ごした。ハンバーガーを買って、林の中のベンチで朝ご飯を食べることもあった。いつもベンチは汚くて、蟻《あり》や、毛虫もたくさんいたけれど、私はそこにいるのが好きだった。うっそうと繁《しげ》った枝は空を隠すほど重なり合い、風が吹くと木洩《こも》れ陽《び》がベンチの上でうるさいくらいに揺れた。そこでも確かに午前中の時間だけは完璧に静かだった。いつも草や木の匂いがしていた。本を読みながらも、私は外の世界を感じていた。鳥の声が高く響き、耳に快かった。本のページに陽が当たって、紙のいい匂いもした。そういうことの全てを、高春の家にいるようになってから思い出した。心が、豊かになったような気がした。仕事を終えてから過ごす真夜中の時間の濃密な過ぎ方とは正反対の、育《はぐく》み、包み込み、伸びてゆく力を味わうことを思い出した。朝の光を浴びると、体が清められるような気がする。

「あのさ、言いにくいんだけど。」

高春が言った。

「わかってる、家賃でしょう？　はじめから、あなたが留守するんでないなら、入れようと思ってたのに、いらないっていうから。」

先手を打つのが居候のこつだった。先手を打ち、そして、後はあくまで謙虚に、影のように目立たず、なにかしてもらっても過剰にお礼を言わず、なにをしてあげてもなるべく気づかれずにすること。

「違うんだ。それがね、料理の勉強でローマに留学していた昔の彼女が帰国することになって、しばらく泊まりたいって言ってきたんだよ。」

彼は、本当につらそうに言った。

面白いことに、それまで、全く彼の人格に興味がなかったのに、そのあまりにもつらそうな、本当にひどいことを言い出しているかのような態度を見て、少し彼に恋をした。特定の業者の味が落ちたりして取り引きを打ち切るときなど、もっとはっきりとものを言う彼を見ていただけに、このことは彼の人生観の中で本当に自分を許せなくなる類の出来事であることがわかった。人それぞれ、弱点は違うものだ。目当てにしていたのが私でも、クーラーでもなくって、本当に気がいい人だった、と知った。

「じゃあ、出るわよ。当然。いつなの？　それは。」

「来週の水曜日。」

「わかった、それまでに出るわ。大丈夫、気にしないで。」

「楽しかったから言いそびれて。」

彼は言った。

なにか楽しいことをしただろうか？

と私は思ったが、特になかった。いずれにしてもいい物件が出たら知らせてほしいと言ってあった不動産屋をせっつきに行かなくてはいけない。とうとうこのときが来たか、と私は思った。

男の人がいると、夜中に寝まきで買い物に行けるし、電球を取り替えたり、棚を組み立てるのをひとりでしなくてよい。そういうことに甘えているのは、確かに楽しかった、と私は思い返してみた。

私はなにかを前もって準備しておくということが全然できなくて、そうとう空腹で夜中に絶対におなかがへるとわかっていても、仕事の帰りになにかを買ってくるということができない。そして空腹で眠れなくなって、突然上着をはおって歩いて五分のラーメン屋に行くことになる。

高春とは三回くらい、そこに一緒に行った。特に話すこともないから、黙って夜道を歩いた。それで、いつも二人とも醬油《しょうゆ》ラーメンを食べた。私は飲食店での接客業だから、この時間にはにんにくは入れないの、と言ったら、黙って高春はスプーン山盛りの生にんにくを私のラーメンに入れた。私もすきを見て同じことをし返した。

会う人全員に利害関係のある毎日は、緊張感があって楽しいけれど、やはり少しずつ疲れる。おじさんとおばさんは育ての親だけれどやはり店のオーナーだし、ちょっと弱いところを見せるとすぐに一緒に住もうと言うから、多少は気を遣う。店で知り合った人はみんな結局お客さんのような気がして敬語で話してしまうし、そう考えるとやはり私の人生にダリアほどの友達はまだ誰もいない。

しかし高春は、一般社会に置き替えれば取引先の若社長ということになる

から、ふだんの私だったらもっと気をひきしめているはずなのだった。もしもはじめから同居ということだったら、ただでも高春の部屋には行かなかっただろう。なりゆきでいることになってちゃんと仕切りを作って顔をあんまり合わせないようになっていたし、特に親しくなろうと思わずに毎日接していているうちに、少しずつ気を許していったせいか、私の心を厳しく律していた居候人生のたががふとゆるんだのだろう。

そういえば、夜道を、笑いながら帰ったとき、そのときはなんということもなかったけれど、後から思い返すととても楽しかったように思えた。そんな日々ももうおしまいだ。別れのときが来ると、いいことばっかりだったような気が、いつもする。思い出はいつも独特の暖かい光に包まれている。私があの世まで持っていけるのは、この肉体でもまして貯金でもなく、そういう暖かい固まりだけだと思う。そういうのを何百も抱えて、私だけの世界が消えてしまうというのだといい。いろいろなところで暮らした、いろいろな思い出の光を、ひとつにつないでいるのは私だけだ。私だけが作ってきた首飾りだ。

前に住んでいた部屋では同じ歳のそんなに親しくない女と家賃を出し合っていたが、彼女のほうが少し多く払っていた。あるとき、彼女が結婚してその部屋に夫を住まわせたいと言い出し、私は快く了解した。ものが少ない私に比べて、彼女は本当にものが多くて、洗面台の上の棚だけでも一財産はあった。台所の棚も、私の場所はがらんとしていて彼女の場所はぎっしりとものが詰まっていて、遊びに来る人に、どうしてそんなふうに皿をしまっているの？　こっちのがらんとしたほうにこっちのごちゃごちゃしたものを移し替えれば？　とよく言われた。彼女の部屋をたまにのぞくと、ものに埋もれてなんとか暮らしているという様子だった。あれを、引っ越してどこかに移すなんて考えただけでも無駄だし人ごとながらぞっとした。私はどうせひとりでその広い部屋を借りることができるほどのお金はなかったし、私のがらんとした部屋のほうに夫の荷物を入れたほうがいいだろうと思った。きっと、今頃は全部の部屋がものだらけになっているだろう。

そんなに親しくなかったとはいえ三年も一緒に暮らすと情がわいて、いざ出てゆくとなると淋しい気持ちになった。別れる夜は彼女が荷作りを手伝ってくれた。本や季節はずれの衣類や家具をいったんおじさんの家に送ると、私の部屋は恐ろしくがらんとして、こんなにがらんとしていたらこわくて暮らせない、と彼女は笑った。

ハムスターをかごに入れるとすぐさま勢いよく新聞紙をちぎって自分のまわりに壁を作るけれど、彼女の持ちものが多いのはそのようなことなんだな、と私は納得した。淋しくなる、と彼女は言って、私の好物の卵焼きを作ってくれた。二人で安いチリワインを買ってきて、飲んだ。窓を開けて、がらんとした部屋に夜風が抜けていくのを感じた。空に星が見えていて、ああ、この窓のこの角度から星を見ることは二度となく、この女にも多分もう会うことはない、持っているパンツの柄や生理日まで知りつくしているのに、そんなことになるとは、不思議な感じがした。彼女が淋しそうなので、冷たい板の間に寝転びながら、私まで淋しい気持ちになった。

私にとって、がらんとした部屋の冷たい床は、私の私生活の象徴だった。いつも、はっと気づくとそこに戻ってきている。部屋を出るときも、新しい部屋に入るときも、その前後のごたごたの中で混乱していた頭がすっと冷えて、ああ、またここにいる、と思う。

布団もまとめてしまったので、彼女のダブルベッドで一緒に寝た。いろいろなものが枕元まで迫ってきていて、私は最後に、もしものときに後味が悪くならないように言いたいことを言っておこう、と思い、「地震が来たらあぶないから、頭の上にはものを置かないほうがいいよ。」と言った。彼女は私の好きな、歯並びが悪い口をにっこりと開けて、「わかった。」と言って、私の好きな細い脇の下を見せながら電気を消した。部屋はしんと静まり返り、

向こうのほうには昨日まで私が寝ていた部屋が見えた。しかも、彼女はしくしくと泣き出したから、私は手をつないだ。追い出されたのはこっちなのに、なぜか、まさに港から港へ旅をしている男になったみたいな気分だった。

不動産屋に行ったら、おじさんに「ちょうどいいところに来たね」と言われた。ふいに訪れるといつでも、彼の言うことは二種類だった。ちょうどいいところに来たね、か、今は時期が悪くて物件がないんだよ、か。

しかし、今回は当たりだった。「四丁目の角のアパート、一応鉄筋で築十五年なんだけどさ、あと二年で取りこわすから家賃を安くするって言ってきたんだよ。全部で六部屋しかないからほとんどふさがってるんだけど、前に大家さんが事務所として使ってた部屋が空《あ》いたんだ。変わった間取りだけど、どうせあんた、夜帰って寝るだけでしょ？　見に行ってみる？」

彼は言った。

私は胸がどきどきしてきた。なにかいいことがある前は、いつも胸がどきどきする。まるで体のほうが数時間後のことをリハーサルしているように。

私は店に電話しておばさんに事情を話し、すぐに行ってみることにした。

そのアパートは古く、つたが壁にびっしりとからまっていて、どこか洋風の造りだった。私はその部屋をひと目で気に入った。床は全部フローリングでところどころはげたりめくれたりしていて、事務所だっただけに全部部屋がぶち抜いてあり、だだっ広いワンルームになっていた。もの入れだけが広く、二畳分くらいはあった。トイレとシャワーのところにはカーテンしかなく、台所はおもちゃみたいにせまかった。窓からは道と街灯が見えた。

「ここにします。」

私は言った。

あまりにも早く決めたので、不動産屋のおじさんのほうがうろたえて、

「なにも置けないし、トイレとシャワーがカーテンだけだから友達も呼びに

くいけど。」

　と言った。

「ついたてとか置いて工夫します。」

　私は言った。ひとりになるのは久しぶりだった。二年間の生活がここではじまる、と私は思ってやっと本当に明るい気持ちになった。高春に楽しかった、と言われたことで、なんだか淋しいような気がしてきていたからだった。

「部屋を決めてきたよ。」

　夜、帰ってきた高春にそう言うと、

「そうか、もうひな菊の『おかえり』を聞くことはできないのか。」と残念そうにした。

「いつ入居なの？」

「契約したらすぐ。それまでに清掃の人が入るって。」

「それまではいるの？」

「ううん、家具をいくつか取りに行くし、あさっておじさんの家に帰る。」

私は言った。

「荷物まとめるの手伝おうか？」

高春は言った。この優しさはクーラーのことでうしろめたいのではないか、と思い、

「クーラーは貸しておくよ。今度の部屋についていたから。」

と言うと、

「それはいつでも返すけど、車出そうか？　それなら。」

彼はあくまで優しかった。

「じゃあ、頼む。」

私は言った。上手に甘えるのも居候にとって大切なことだった。

「電話して。店の車で行くから。」

「でも。」

私は口をすべらせた。

「そんなことしたら、私たちがつき合ってるのがばれちゃうわよ。」

もっと悪いことには、高春が、「俺《おれ》たちってつき合ってたの？」などと冗談を言わず、沈黙してしまったことだった。これはまずい、まずい兆《きざ》しだ、と私は思った。今までに何回か男の人の家にやっかいになったことがあるが、こういうふうになってきてろくなことになったためしはなかった。

「君、どうしてそんなにお金ためてるの？」

高春は言った。

「ためてるって…だいたい、給料なんて、おじさんからもらってるくらいだから、安いものだし。でも常に自活していたいから、やっぱり安くあげないとね。」

「ふうん、なるほど。君、なにか好きなことはあるの？」

「お好み焼きと焼きそばを焼くことと、店。」

私は言った。

「天職なんだね。なるほど。」

彼は言って、自分の部屋へ歩いていった。

私は痛いところをつかれたな、と思っていた。

私が、居候や知り合いの部屋に転がり込むのや、誰かと家賃を出し合って住むのは、おじさんとおばさんを自分のお父さんとお母さんとはどうしても思いたくなかったからだった。大好きな人たちだったけれど、すんなりとその形の中に養女として入っていくのがいやだった。そんなふうに丸くおさめるのはいやだった。

そして、それでもこの十年、誰かと住んできたのは、仕事も家族と呼べる人たちもこのままいけば多分一生変わることがないこの人生、せめて住むところをどんどん変えて、自分のことを知りたかった。それもはじめは家を出たいのとお金がないのとではじまった生活だった。

学校ではお好み焼き屋でできるような毎日真剣でないと痛い目に遭うような、あるいは体の芯《しん》から感動するような嬉しさを勉強することはできなかったから、高校まで適当に行っただけだった。私の学校は店と、同居する人たちとの出会いだった。同居に至るまでにいろいろな過程があり、それも偶然に大きく支配されていて、ゲームのようだった。そして一緒にいる人によって違う面が引き出される、その新しい自分にこそ興味があった。そしてなによりも私はずっと淋しくて、誰かといたかった。誰かの立てる物音を聞いていたかった。

それから、おじさんとおばさんはとても愛してくれるけれど、二人には二人の事情がある。先のことはわからなかった。もしも悪い事情が重なったら将来、店を譲ってくれないかもしれない。そうしたら私は二人には迷惑をかけずにどこか好きな場所を見つけて自分で店を出そうと思っていた。

そのことを、高春はなんとなくわかっている気がした。

いちぢくの匂い

私は梅雨《つゆ》の雨が嫌いだった。雨はいつも私に二つのいやな思い出を呼びさました。ひとつは母が死んだときのこと、もうひとつはその事故の後のつらいリハビリのことだった。

その事故が起きたのは、母が私を小学校にたまたま迎えに来て、家に帰る車の中でのことだった。その頃店は、母と、母の妹であるおばさんと、おじさんではじめたばかりだった。私には父親はいない。母は未婚の母でどうも誰かの愛人だったらしい。私の父親だった人は、私が存在することも知らないと聞かされた。母とおばさんが私を育ててくれた。

店はいつも混《こ》んでいて、人手が足りないのと私の世話をするので母はいつも疲れぎみで寝不足だった。母が運転し、うしろに私が乗っていた。

母はどんなに疲れていても、たまにはめちゃめちゃに陽気になることはあっても、決してやつあたりはしなかった。いつも眠いときは私を寝かしつけながら一緒に寝てしまった。目を開けると母の長いまつげがとなりにあることがよくあった。布団もかけずに、スカートがめくれて足をむき出しにして、寝てしまっていた。それで私が起こすと、母はしばらくは口もきかずにぼんやりしていたが、にこにこ笑ってまた働き出した。そういう不細工な有様《ありさま》も含めてとても愛らしい女性だったことをよくおぼえている。洗濯物はいつもたたまれずに山積みになっていたし、母の服からはいつもお好み焼きの匂いがしたし、おやつも晩ご飯もお好み焼きで、ひどい生活だったが楽しかった。幸福な夢のような、生まれたての、新しいエネルギーが家中に満ちあふれていた。あの頃の生活を思い出すと、いつも母と私が住んでいた部屋の中がオレンジ色の光に包まれている感じがする。
私はいつも店が終わって母が帰ってくるのを待っていた。けなげに待ちながらもおなかが空いて、こっそり湯を沸かして食べたカップ麺《めん》のおいしかったことも思い出すことができる。全てが強い印象を持つ時期だった。帰ってきた母が、たとえ本当はひと言も口をきけないほど疲れ果てていたとしても、私を見ると少し嬉しそうになり、私の幼いエネルギーを受けとって活気づくのがわかった。自分は邪魔な存在ではなく、役に立ち、必要なのだと思えるその瞬間のためなら、夜更《よふ》かししていることはなんでもなかった。

その日、車が動き出してすぐに雨が降りはじめた。ぼとぼと落ちてくる冷たい雨だった。梅雨の重い空気が雨を含んで天からたれ下がってくるように見えた。淋しい夕方だった。空も、車の中もみるみる暗くなって、道は速《すみ》やかに静かに真っ黒になった。

あのいやな雨を私は一生忘れない。大地を清らかに洗い流し植物を潤《うるお》す天の恵みと同じ質のものとは思えなかった。いくら向こうを見ようとしても見えない、重いカーテンのようだった。町を覆いつくし、その憂鬱《ゆううつ》な気配で全てを満たした。

その雨が心の中にまで冷たくしみてくるのを感じていたら私はとてもとても眠くなって、そのときの眠さをなんと表現したらいいだろう。まるで重いものでがつんと殴《なぐ》られたように、襲ってきた眠気に打ちのめされた。タイヤが水の上を走っている音を聞きながら私は眠った。

そして母は、前から来た自転車をよけそこなった。車は電柱に激突した。その瞬間、それほどの痛みは感じなかったが、私は眠りからも、平和な現実からも、その強い衝撃でたたき出された。

そこからは全てがゆっくりと見えた。私は車の外にいて、私の小さな手のひらに雨が当たっていた。

雨の日よう日

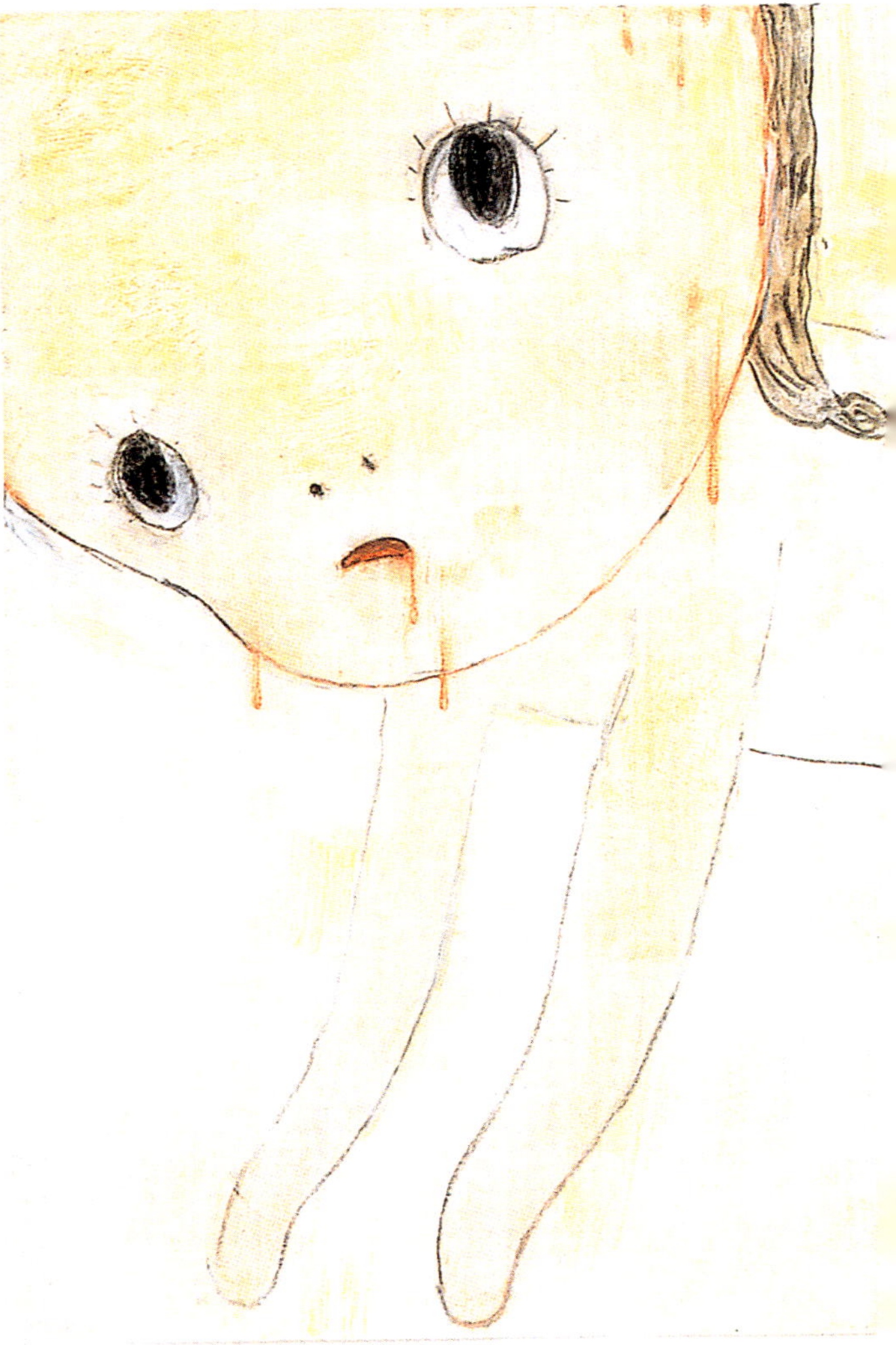

そしてそのとなりには、白目をむいて口から血や泡をはいてひゅうひゅう音を出している母が横たわっていた。

それを見ていたときの自分の気持ちを、その光景を、私は決して忘れることができない。あれ以来、私はこの世のどんなものの裏にもあの衝撃と同じ要素を感じとるようになった。どんな平和な風景の裏にも、あれと同じような脆《もろ》さがひそんでいて、私たちが美しい姿形で無造作に笑っていられることに、神と呼ばれる要素が介在していないほうがよっぽど不自然だという感じだ。

そのくらい奇蹟的に、なにかとても優しくて美しい決まりごとにのっとって私たちは生きていられて、そこからふとはみ出してしまったそういうケースで神を責めることが愚かしく感じられるほど、多くの命がおおむね無事にこの地上で躍動して生きているように思う。

そしてそれ以来、私はどんなことにもそうびっくりしなくなった。びっくりしたり、動揺したり、あわてふためいたり、そういうことのかわいらしさを、その光景ははるかに超えていた。一瞬前までは人間であった愛する人が、車からだけではなく、その、肉体という乗り物からたたき出されたのを私は見た。どんな人も、どんなにしっかりした日常も、大きな力が加われば一瞬でそうなってしまうのをこの目で見た。この世には人間の肉体なんてものともしない想像を超えた物理的に大きな力が存在することも知った。そしてたった一瞬前のことだというのに、もう時間は戻らないことも。

それでたまらなくなって、私は目を開けていられなくなった。

いろいろな音や人の声や匂いがまわりを取り巻いているのが感じられた。それで、びっくりしたのは、体が濡《ぬ》れていることだった。雨のせいだとぼんやり思っていたけれど、それは血だった。左もものあたりがとても熱くて、それにもっと不思議に思ったのは、自分自身がその、血液が出ていくほうへとどんどん溶けていってしまうことだった。頭の左の側から、自分が出ていってしまうような感じがした。どんどん流れるその強い力に流されて、体にはもういられないような気がした。ちょうど流れるプールに浮いているような、ふざけて表向きだけ逆らっているような心地のいい感じだった。その前私は、母の体のあるほうに少しでも動きたくて体を動かそうとしていた。そのがんばりが尽きたときに、その流れに乗ったという感じだった。

そのとき、私は確かにもう目を開けていなかった。でも、どうしてか母が体を起こしてこちらに近づいてくるのがわかった。母の気配、細長い顔や、白い手足や、とにかくふだん母がかもし出している全ての要素がぐっと迫ってきた。そして次には母のいつもの香水の柔らかい、いちぢくの匂いがしてきた。雨の湿った匂いに混じって、つつましくそれは香ってきた。確かに、旋律のようにその香りは私を取り巻いて、一瞬、幸福な晴れた日光の中にいるような感覚があった。その匂いは私を抱き、なぐさめる役割をした。そんなにかすかなのにそれは雨をふりはらい、今まで起こった幸せだったことで私をいっぱいに満たした。

私は目を開けたくて、母を見たくて仕方なかった。いっそう体を出たかった。今、自由になるにはそれしかない、と思った。母の体がこわれていたのが恐ろしく、きっと私もあんなふうなのだと思っていた。

そのとき、恐ろしい、ゴリラみたいな力で……といってもゴリラに押されたことはないけれど、とにかく想像するとそれ以外にたとえられないほどすごい力で、母が私の頭を押しはじめた。痛くて痛くて、やめて！　ママ！　痛い！　と叫んだ。でも母の手は容赦なく、全くゆるまなかった。姿を見ることはできなかったけれど、母の手の感触が確かにあった。全身全霊で私の頭をぐいぐい押しているのは母であることがわかった。憎いと思っているとしか思えないほどだった。私は泣き叫び、気を失った。

次に目覚めたとき、私は入院していて、足のものえぐれたところにお尻の肉を移植する手術を終えていた。その傷はまだある。

母は死んでいた。

私にはわかっていた。それとは別に、私は、母がなんらかの力を使って私が体から出てゆくのを押し戻してくれたのだと信じた。あのすさまじい力、人間が、女の人があんなものすごい馬鹿力を出せるわけがない、と思うくらい強く野蛮で、殺されるのかと思った。実際には私の体も母の体も、動かせる状態ではなかったから、現実にはありえないことだった。しかしあんなに痛いことを人からされたことはない。あの痛さから感じる愛情の感触は今も私から消えない。

その後で母に会えなくてつらいとき、いつもあのごりごり押してくる手のひらがよみがえった。イメージの中で、その手はいつも闇の中に白く浮かんで、私の命が一滴も漏れて出ないように強く光っている。爪は短く切りそろえられ、いつもしていたガーネットの指輪が光っているのが見える。その手が狂暴な力で私を押し戻したこと、優しくなく、なりふりかまわずに暴力的にしたということがかえって夢ではなかったと思わせる。私はあの力がなかったら多分あっけなく死んでいただろう。

母の香水は、誰かがフランス土産《みやげ》に買ってきたものだということを後から聞いた私は、それをずっと探していたが長年見つけることができなかった。最近、新しくできた店にふと立ち寄ってなんとなく知っている瓶だな、と思って手に取ってみたら、あの匂いがした。店の人がこの香水を作っているメーカーは最近日本に入ってきたんですよ、フランスでは昔から有名だったんです、と言って私の腕の内側にしゅっとかけてくれた。私は二十年ぶりにかいだ母の匂いに包まれ、その場で泣き出してしまった。そして事情を知った店員になぐさめられつつ、それを買って帰った。

再生

私は荷物整理のためにしばらくおじさんの家に戻ったが、全く居心地が悪かった。きっと普通に家を出ている人が帰省したときの数十倍の居心地の悪さだろう。店のシフトによっては一日中同じ人たちといることになるのだから。

幼い頃ずっと住んでいた部屋で寝起きしていると、変な感じがした。小さいシングルベッドからは足がはみ出しているし、天井の模様は同じだし、やたらに貼ったシールの跡まで変わりなかった。

朝、目が覚めるといつも、自分が何歳なのか全くわからなくなった。

私が十五歳までいた部屋。愛着もあった。部屋を変える度、季節が変わって衣がえをする度、この小さい部屋に私は帰ってきた。母の形見の品もみんなここにあった。あと数年したら、どこかに部屋をちゃんと決めて、全てを持ってそこに移ろうと私は決めていた。居候生活は若いからこそできることだ。

昔は窓から林が見えた。むせかえるような木の匂いが窓から入ってきた。今は、住宅街が見えるだけだ。大きな木が何本か残されて、枝を天高くのばしている。

窓の外には時間の経過、内側には止まっている時間。頭が、いい感じではあったがどうにかなりそうな気持ちで、私は自分の人生を眺めていた。林のように変わらずあるはずのものが消え、私のおもちゃ箱だとか古い雑誌だとかは全く変わらずにある。こんなこと予想がつかなかった。

母が死んだことで人生がまるで違うものになったことに幼い私は本当に驚いた。心のどこかでは、まだびっくりしている。まだ、もうひとつの人生を、夢見ている。まだ、待っている。まだ、演じている。目が覚めたら母のいる人生に戻っているのではないかと思うことがある。そのくらい、その死は唐突だった。なんの理屈もなんの感傷も拒む理由なき死だった。

なにかを徹底的に受け入れようとすることは、この世で起こっていることに関して普通の百倍くらい敏感になることだった。決して鈍くなって乗り越えようということではなかったように思う。

私は術後の痛みのせいでなかなか歩けるようにならなかった。今でも雨が降ると足が痛む。その痛みがじわじわと精神に詰め寄ってくる度に、私の全てがあの事故の影に包まれるように思える。

それでも大人に比べたら、幼い私の体の回復は早かったらしい。訓練すればすぐに元どおりになると言われた。私は、そのとき、子供だったのでうまくは言い表せなかったが、自分の体が治ってゆくひとつひとつの過程が、自分と母の距離を遠ざけてゆくように思えた。一歩一歩生者の世界に帰ってくるということは、病院のベッドで見知らぬ白い枕に埋もれて「今は特別のときだからなにも考えなくていい」と思う日が終わりに近づいているということだった。しかしいつまでもそうしていると母が残してくれたお金が入院費だけで尽きてしまうと思った。おじさんとおばさんは母ほど本気ではなくて、もともと退職後の趣味として店をやっていたし、田舎に土地を持っていたから余裕があるのは知っていたが、母子家庭に育ってお金のことを知っていたから、妙にせちがらい考えを持った子供になっていた。

私は私なりの回復術を考え出した。検温のときも、回診のときも、おじさんやおばさんが見舞いに来ても、私は眠り続けた。意識的に眠った。リハビリと検査のとき以外は、ずっと寝ていた。医者は精神的なものだろうと心配したが、それをよそに私はどんどん回復していった。あまりにも深い眠りに抱きとられると、その腕の中から戻ってくるごとに、精気が戻ってきているのがわかった。子供だったからだろう。うつ病っぽくだらだらと眠るのではなく、本気で自分を催眠術にかけ、意識を真っ暗な闇で休ませたのだ。

私が淋しかったことは、体の皮がむけたり、どす黒かったあざが少しずつ青くなっていったりして変わってゆくことが、あの日あの事故の場面から私を確実に遠ざけてゆくことだった。心を置き去りにして体が元気になるということは、やはり、心も現場を離れていくことに他ならなかった。朝起きてい多少痛みが薄かったり、多少気分がよかったりした。検査もどんどん減っているった。はじめのうちはなにがなんだかわからないくらいあって、寝ぼけているうちにたらいまわしになって、一日何回血を採るのかそれがなんのためなのか、何回聞いてもわからなかった。

私は、たとえ血まみれの姿でもいいから、母の生《なま》の体に触りたかった。あんなすごい場面でもいいから母に会いたかった。でも全ては流れていた。新しい生活が待っていた。少しも楽しみではなかったが、時というものを敬うのなら、行かなくてはならなかった。

病院では毎日誰かが死んだり泣いたりしていた。救急病院だったから、なおさらだった。私はそれを見て「遅かれ早かれみんなに起こることなのか」と思い、びっくりした。

みんなが私を気の毒だと言い、おばさんはなんであなたがこんな目に遭《あ》うのか、かわいそうに、とばかり言っていたから、自分は特別でみんなの親は死んだりしないのかと思っていた。だから、真実を知ったときには愕然とした。王子さまであったブッダがお忍びで町へ出て、はじめて病人や死者を見たときの気持ちが、ちょっとだけわかる気がした。私は、自分だけかわいそうで、自分の親だけが死んだのかと思い込んでいた。でも病院で暮らしていたら、毎分毎秒、全員に同じようなことが起こっていた。

早すぎたと思うのも簡単だったが、死がみんなに来るということを徹底的に知ってしまったら、そう思えなかった。それにもう母は、私の知らないところで焼かれて骨になって埋められていた、そのことも知っていた。

退院しておじさんの家に住みはじめると、もともとそこに暮らしていたかのように私の小さな部屋があって、私の荷物がすっかり運びこまれていた。母のものはたくさんのダンボール箱に入っていて、将来私が好きにしていいと言って物置にしまわれた。私は私の部屋ということになっているその新しい部屋に自分の人形だとか教科書だとか慣れ親しんだものがある様子に全然なじめなかった。悪い夢みたいだった。二人は本当によくしてくれたけれど、その日からずっと、私は早くそこを出ようと思い続けた。そこは私の場所ではなかった。店は好きだった。店には母の面影が残っていた。私はひまさえあれば店を手伝っていた。家にいつくことはあまりなかった。

その頃は地獄だった。店から帰ってくる頃には胸の中に熱くて重い涙の固まりができていた。コーヒーが少しずつポットに落ちるように、物理的に涙が胸に満ちてくるのがわかった。悲しみという生き物の濃厚な精子を涙という形で外に放出しないと、体中を乗っとられて狂ってしまいそうだった。歌も遊びも食べ物も、母のいないことをまぎらわせるものはなかった。ただ涙を出した後だけ、少しすっきりして、吐きそうにしゃくり上げながらも眠ることができた。

私の部屋の窓には母が大切にしていたノリナの木が置かれていた。ある日、ふと気づくと葉が黄色くなって枯れかけていた。私はなんの気なしに水をくんできて土にかけた。土が水を吸い込む音が響いた。どうしてだか私はそのとき、母が死んでからもっとも最悪に落ち込んだ。立ち直れないほど暗い気持ちになり、泣き出し、床に手をついて号泣した。

もう母の白い手がノリナを世話することがなかったから、生きている木が枯れてしまった。時間がたっている、いくら見ないようにして帰りを待っていても無駄だ、ということを本当に深いところで知った瞬間だった。

翌朝、私はまぶたを腫《は》らして枯れ葉をつみとり、ノリナは母が生きていたときにはありえない不格好な形で、それでも生き続け、今も私とともにある。植物は無慈悲にそしてある意味ではなによりも優しく大らかにその生命で時間の経過を示してくれる。その恩恵により、私は少しだけ、そのときなにかになじむことができた。母のいない世界の中でも淡々と生き続けて水を待っていたそのたくましい存在によって。


その頃、ダリアとの友情は黄金期を迎えていた。

おじさんの家の裏に小さな林があり、その向こう側にダリアの家があった。私の母とダリアのお母さんは親しかった。ダリアの家ではお父さんは海外出張ばかりで、お母さんには年下の恋人がいて、ダリアはその人がよく家に来るからあまり家にいたくないようで、よくうちに遊びに来たのだった。

母が死んだ直後の淋しかった頃、私はやたらにわがままにダリアを呼び出したが、ダリアはごはんの途中だろうが真夜中だろうがすっとんで来た。一度夜中にたまらなくなってかすかな音で笛を吹いたことがあった。どういうわけかそれはダリアの耳に届いて、ダリアはやってきた。いつも勢いよくやってきて、とても無神経に私の部屋に上がりこんで、私が泣いていれば泣くなと怒り、おじさんの家の冷蔵庫を開けて勝手になにか食べたり、私のベッドを乗っとって寝てしまったりした。どうせ店があるときはおじさんもおばさんもいなかったので、手伝いに行かないときはよくダリアと過ごした。ダリアの無神経さは、どんな細やかな優しさよりも私の緊張した心身をくつろがせた。

学校でのダリアは変わりもので有名だった。先生を蹴《け》ったとか、学校に来ないで遊んでいたとか、気が乗らないと帰ってしまうとか、ランドセルをどこかに置いてきてしまってそれがどこだかわからないとか、間違って日曜に学校に行ってしまって、勝手に代わりに月曜休んだりしていたからだった。本人に悪いことをしているという意識が全くなかったから、教師も困ったこ

みず
ノリナ

とだろう。親は、それに輪をかけてやる気がなかった。親は自分の恋愛や楽しみや離婚したいということで頭がいっぱいだった。しかしダリアのことを愛してはいたので、彼女は天真爛漫《らんまん》に育ってきたというだけだった。

私にとってはダリアの育ちも評判も関係なかった。母が死んだことを、その不在をもっともなぐさめたのは笛を吹くとまるで小犬のように忠実に飛んできてくれたダリアだった。少しずつ元気になって新しい生活に慣れてきた私は一応、悪いなと思って夜、淋しくても、ダリアをむやみには呼び出さなくなった。しかし枕元にたて笛を置いて、これを吹きさえすればあの気立てのいい友達が闇の中からやってくると思うと、たいていのことには耐えられた。

そしてダリアが来たときにはいつも布団にくるまっていろいろしゃべったり、見よう見まねでなにか食べ物を作って食べたり、徹夜で深夜放送を聞いたり、夜中の林を探検したり、お互いの保護者の店に行き、大人たちの世界を探検したりしていた。いつも目の前のことに夢中になって悲しみを忘れた。

ダリアを失って気づいたことは、あの時期が実は得がたい時期で、あんな親しさを誰かとわかち合うことはそうないということだった。

時々、ダリアのことを思い出すと、あんなに美しい瞳の人にも、あんな大らかな人にもその後会うことはなかったと思う。店でも学校でもいろいろな人がいたしいろいろな人と仲良くなったが、ダリアほど私の胸をしめつける友達はいなかった。


いつかの昼、ダリアと林の中で一緒に焼きそばを食べたことがあった。ビニールシートを敷いて、蚊とり線香をたいて、おばさんがお昼の残りを持たせてくれた焼きそばをやむなく食べていた。よくある午後だった。

その頃、もうダリアのお母さんの再婚やブラジル行きの話は出ていたのだろう。

ダリアは突然言った。

「私、外国に住んで、焼きそばをたとえ一生食べられなくなっても、この味を忘れない。焼きそばと聞いたらこの味を思い出す。」

「なんで？」

「おいしいからよ。そしてもっとすごいことは、もしもあんたがあの店を継いだら、あの店がある限り、私はおばあさんになってもいつでも変わらないこの味に会えるわけ。頭の中にある焼きそばの味そのものに。」

「私が作るとどうしても味が少し違っちゃうのよね。」

私は言った。私はいずれにしてももう焼きそばにはうんざりしていた。だからダリアの様子が面白かった。なにを熱く語っているんだろ？　と思った。陽は大きな枝にさえぎられ、夏だというのに涼しかった。私にとってはマンネリな味の焼きそばだったのに。しかも冷えてのびていて、もそもそと食べながら私は、今度お店がひまなとき、練習という名目で私がいっぱい焼きそばを焼いて、好きなだけダリアに食べさせてやろう、と思っていた。風が激しく、押すような勢いでむき出しの足をなでていった。遠くから、誰かの部屋でかかっている音楽がかすかに聞こえてきていた。

「私、あんたのおかあさんの味もおぼえてる。もう少しソースが少ないんだよね。おばさんのより。いため方も違う。この舌に残ってる。」

ダリアは言った。ほっぺたをすもものようにつやつや光らせて、口をもぐもぐさせていた。

いつも、そういうことは永遠に続くと、私にとっての焼きそばの味のようにあきあきするまでなくならないと思っていた。二人ともこの町内でずっと生きていくと思っていたし、おばさんになっても、互いに子供ができてもこんなふうにつき合っていくのだと思っていた。ダリアのほうがほんの少し大人だったのだろう。

手続きがすんでいつでも越せるようになったので、二年間私の城となる部屋へ、行ってみた。母の残したノリナと、古いラジカセだけ持って。ものすごい陽あたりで、夏は暑くなりそうな部屋だった。まだ電気の契約をすませていないのに、思わずエアコンをつけた。ほこりくさい冷気が部屋をめぐった。床のほこりが明るく光っていた。私は音楽をかけてみた。音が悪かったが、なにもない部屋と私の体にしみてくるような感じがした。なにもない空間を、はじめて鳴らす音が満たしてゆくこの瞬間。妙に音が大きく響き、どんな音のいいステレオでも出せないような独特の音が胸に届く。

どんな淋しい引っ越しの後でも、どんなにお金がなくなっても、この瞬間が来れば全て忘れた。空気が変わり、音楽は私の目の中で、ひとつの映像として新たな生命を生きはじめる。その度に細胞が新しくなるような気がした。

写真

梅雨はあと数日で明けようとしていた。空気がどんどん夏を発散しはじめていた。植物はみな梅雨の間に得た水分を糧《かて》に、空へ空へと強い力で伸びていた。

晴れると、アスファルトに陽炎《かげろう》が立ち、店の前に打ち水をしてもしてもすぐに乾いた。

私は夏の夜の店が好きだった。鉄板が熱くてどうにかなりそうになるから強力に冷房をかけて、どんどん焼く。人々もどんどん食べてどんどんビールを飲む。いつもはしんなりとして感じられる東京の人たちが、夏だけはにわかに活気づく。それを見るのが好きだった。店の入り口を開け放して、活気を夜の空気に押し出すような気持ちが。外から見たら、なんて楽しそうな店だろう、と道ゆく人が思うだろう、と想像するのが好きだった。その高揚した気持ちは何回味わっても飽きることがない。


引っ越しの日、晴れた朝に、高春は店の名前がでかでかと入ったかっこ悪い車で迎えに来た。私はさっさと荷物を積み込んだ。まるで父親のように高春に焼きもちを焼くおじさんに見送られて、私はまた、おじさんの家を出た。

荷物が入ると、部屋はとたんにつまらなく、色あせて見えた。また、がらんとさせたくなってしまい、荷物をもう一回おじさんの家に戻そうかと思うくらいだった。でも、カップがなければお茶も飲めないし、タオルがなければ風呂にも入れず、生活とはつまりものを使うことだった。

高春が、母の残した古いプレーヤーを見つけてレコードをかけた。

荒い音で音楽が鳴り、ＣＤとはまた違う雰囲気が出た。まるで昔、母と暮らしていたときがよみがえったように思えた。母も、新しい部屋でまず最初にすることは、レコードをかけることだった。

やかんがまだ出てこなくて、なべで湯を沸かしてお茶を淹れた。

「冷蔵庫買わなくっちゃ。」

私は言った。

「店の奴をあげるよ。新しいのに取り替えたから。」

高春が言った。

「いやよ、あの、巨大な奴でしょ？　電気代かかりすぎる。」

「違うよ、解凍用に使ってた、小さい奴。普通のよりも小さいよ。」

「じゃ、もらう。」

私は言った。

しばらく黙って新しい部屋の空気をお互いに味わっていた。この間まで一緒に暮らしていたのに、今は一緒にずっといる理由がないのが、少し淋しかった。こういうときの気まずさやもの悲しさは、二人ともを無口にする。音楽だけが部屋に差し込む光のように、きれいに甘く流れていた。

どんどんものごとが変わってゆく、もう彼は多分永久に、私がＴＶを観てげらげら笑うのをうるさいと言うことはなく、鼻がつまっている私のいびきに耐えかねてついたてを乗り越えてきて私の顔の向きをむりやり変えることもない。


その部屋はじめての夜、思ったよりも街灯が明るくて部屋が月明かりに照らされているように明るすぎたことと、思ったよりも車の音がうるさすぎることを発見した。

そういうことに慣れていくのが部屋となじんでいくことだ。

私はろうそくをつけてちょっと気分を出し、ラジオでクラシックをかけて、干すひまがなかったせんべい布団に寝ていた。背中が痛かった。

ろうそくの火で、ノリナの影が天井に揺れていた。細い葉が、人の髪の毛のように繊細に伸びていた。

私は引っ越しの興奮から次第に冷め、体の疲れにつられて眠りの中に入ってゆき、そして、また、あの夢を見てしまった。いやだったのに。


私はあの、崖の途中に建つ家の中に立っていた。

発狂しそうな月明かりが前にもまして暴力的に家中に満ちていた。

海が見たくてバルコニーに出たが、やはり海は遠く、港の明かりは粒になって連なっていて、鮮やかに海面に映っていた。人の営みは全て遠く、私は、「そろそろあきらめて行こう」と思った。どこに？　それはわからなかった。

ただ、あきらめの気持ちよりももっと静かな波がやってきて、もう、時間は戻ることはないから、次に行こう、と思っていたのだった。

そこで思ったことは、私の腕の痛みのことだった。おじさんもおばさんも
私も、多分母もずっと焼きそばやお好み焼きを焼きすぎて、いつも腕が痛か

った。しっぷを貼ったり、はりを打ったり、それでも痛かった。夢の中ではそれがすっかりなくなっていた。いつもぼんやりと痛かったのに。ときには腕を切り落としたいほどだった。

　それでも私は焼きそばを焼くのが好きだったし、お好み焼きをひっくり返すのにも飽きることはなかった。うんざりすることはなかった。注文が来た瞬間だけ、ああ、めんどうくさいと思うのに、材料を前にすると体が楽しそうに動き出した。それを感じるのが好きだった。店が終わって、電気を消して外に出たときの風の匂い、星を見上げて、汗が冷えていくとき、いつもお祭りの後みたいな気持ちになるのも好きだった。誰も来ない日はなかった。いつも、誰かが、あののれんの向こうの明かりを目指して、夜道をやってきた。その中に自分がいると思うだけで嬉しかった。ちょっとおずおずして、嬉しそうに入ってきた人々の顔が食べているうちに変わっていくのを見るのもよかった。けんかしていようと、黙っていようと、顔がゆるんでその人本

来の姿になっていく。いやな奴はもっといやな奴に、あつかましい奴はもっとあつかましく、それでも、はじめは表情のなかった人々が店の中でやがて自分のうちの中で見せている姿に変わってゆく。煙の向こうにそれを眺めるのが好きだった。いい人生だったなあ、と私は思っていた。ずっと同じことをやってきたのに退屈だと思うこともなかった。

私は、ベッドのある小部屋に入った。

今度は、ベッドは真っ白なシーツが敷いてあって、清潔に整えられていた。

私は眠ろうとして、横たわった。

すると突然、きっちりと閉まっていた天井の物入れの戸がばーんと開いてふたがびろんとたれ下がり、中からばさばさっとなにかが落ちてきた。私は飛び上がるほどびっくりして、本当に目が覚めて現実の世界へ飛び起きた。

がばっと起きたら新しい部屋にいた。そして私は夢から出てくるとき、目のはしでその落ちてきたものの正体を見ていた。それは、写真だった。なんの写真かはわからなかったが、色あせた何枚もの写真がどさっと落ちてきたのだった。

現実でも私は胸がどきどきしていた。闇の中で呼吸を整え、もう消えたろうそくの、すすの甘い匂いを感じていた。しばらくは眠らずにいよう、と私は思った。もうあの夢の中に行くのはいやだった。

雨

その日は梅雨が戻ってきたかのような重い一日だった。今にも雨が降りそうな状態が朝から続いていた。昨夜の夢が私の心に解けないパズルのように重くのしかかっていた。あの夢の中で、明らかに私は死を決意していた。あの家の中で。白いシーツが、取り巻く淋しさが、人生のいろいろな側面を愛しく思った気持ちが、それを表わしていた。そして写真が降ってきた。写真は、なにを意味していたのだろう。

私は、確信していた。ダリアは、死んだに違いない。自分がおかしなことを考えているのは充分わかっていた。でも、そう思った。もう、この空の下にダリアはいない、そう思った。

夜、店に出る前に本屋にいたら、外に面しているガラスに水滴がいっぺんに散らばったので私はびっくりして外を見た。地面が濡れていて、いつも通り、いやな気持ちになった。足の古傷もしくしくと痛んだ。続いて西の空のかすかに明るいところにものすごい稲光が光って、しばらくしたらがらがらと音が鳴り響いた。雷が収まるまではここにいよう、と思い、繰り返す雷が空に描く不思議な模様を見ながら立ち読みをしていた。空はどんどん暗く黒くなっていって、雨は冷たそうだった。道ゆく人も伏し目がちで足早だった。私の心はどんどん沈んでいった。結局外に出たときはずっしりと重いスーパーの袋二つと、十冊の本や雑誌を持ち、守るものはへなへなのビニール傘だけ、しかもサンダルだった。それにしてもふだんはそんなことなんでもないことだった。全然沈みたくないのに、この季節の雨は強引な力で私の心を沈ませる。

私はタクシーに乗ることにした。電車だとひと駅だが、駅から店までが遠くて時間がかかるからだ。駅前の大通りに出たが、中途半端な時間だったから、乗り場にタクシーなんて一台もなかった。しかもその時点でもう私の足はびしょ濡れだった。じっとりと濡れた靴下がサンダルの中で気持ち悪く冷えていった。両腕に持っている荷物に傘の水滴が落ちないように傘を持つのも骨が折れた。来るタクシーにはどれも人が乗っていて、真っ暗な道はどんどん水びたしになって光り、信号のライトを冷たく映していた。十分くらいたつと手がしびれてきてさすがにいらいらしてきたが、その場を動く気になれなかった。動く度に靴下とサンダルの間の水がぶしゅ、と音をたてて、かばっていたはずの本も次第に水滴に濡れてしわしわになってきていた。私はもう裸になって裸足《はだし》で踊り出したいような気分だった。とりあえずもうどうでもいいと思って傘をたたんでそのへんに捨てて、本の入っているビニール袋の口をしっかり折って抱えた。髪も顔も体も面白いほど濡れて、泳いでいるようだった。慣れてきて気持ち悪さは感じなくなった。

そしてそのとき、雨に打たれながら黒く光るアスファルトを見ていたら、なぜか、いつもの憂鬱《ゆううつ》さとは違う新しい気持ちになった。

自分が恵まれているのかいないのか、家族はあるのかないのか、歳はいくつなのか、どこから来てどうしてこの場所にいるのか、そういうことの一切が関係なくなり、妙に明るく、淋しいような嬉しいような、あの気持ちをなんと表現したらいいのかわからないが、強いエネルギーが湧いてきた。多分、住むところを変えたからだろうと思う。それから、ダリアが死んだかもしれないと思って、なにかずっと私を緊張させていた大切なものがゆるんでしまった。

しかしそれはそのせいだけではなく、どこか絶対的なところから来る気持ちだった。私が生まれる前からあって死んだ後もあるだろうと思える確かな感覚だった。自分は誰でもなく、いつか消えてゆく…今はその前の時間だというような気持ち。水滴が体を流れていくように、そのまま地面に流れて消えてゆけそうな気がした。

やがて、濡れてにじんだ道路の景色のはるか向こうから、まるで暗い峠《とうげ》でやっと見つけた一軒の民家の明かりのようにこうこうと暖かいライトをともして一台の空車がやってきた。私はそれに乗って店に急いだ。不思議に明るい気持ちだけを抱いたままで。


店に着いたら、おばさんがずぶ濡れの私にびっくりして、乾いたタオルを持ってきてくれた。おばさんの香水のいい匂いがついていた。私の首をふいたら、私の香水の匂いと混じって、なんだか明るい感じのいい匂いになった。新鮮な雨の匂いも混じっていた。

「あなたに郵便が来ていたから、持ってきたわよ。あっちに置いてある。」

仕込みをしながらおばさんが言った。

「わかった。」

私はエプロンを取りに行くついでに、奥の部屋に置いてある大きな包みを見た。ブラジルからの航空便で、ダリアのお母さんからだった。開けて見たら、ぼろぼろの紙袋が入っていて、その中には、たくさんの写真が入っていた。

パズルが解けた瞬間だった。

袋を開けたとき、不思議なことに、ちょうど雨に洗われて敏感になっていた私の鼻はダリアの匂いをかぎとった。小犬みたいな匂い、ひなたの匂いのような、ダリアの匂いがした。突然、ダリアとくっついて寝ていたときの感触がよみがえった。夜を渡っていく風の音や、星のきらめく様子や、ベッドカバーの模様までもがよみがえってきた。

みんなダリアが写っていた。古くて色あせていてぼろぼろなものも、最近のものもあった。まだ幼いダリアが学校に行く場面、新しいお父さんと馬に乗っているダリア。外国の町に立つ姿。海辺で貝を拾っているところ。新しくできた弟をぴくぴくしながら抱いて嬉しそうにしているダリア。大きな口を開けて、げらげら笑っているところ。最近は店を手伝っていたらしく、すらりと伸びた真っ黒な手足で、ウェイトレスをしていた。

この写真群こそが、あのとき天井から落ちてきたに違いない、と私は思った。ダリアが私に送ってきた最後のメッセージが、あの夢だったのだろう。

写真の他に、ダリアのお母さんの手紙が入っていた。

ダリアは、変わった死に方をした。ブラジルだからよかったけれど、日本だったら、大変な騒ぎになっただろう、とダリアのお母さんは書いていた。だんなさんと一緒にブラジルで日本料理屋をやっているそうで、たくさんの日本人が来るからまだ日本語をよくしゃべる、おかげで日本語を忘れずにいます、と書いてあった。それでも彼女の言う、死ぬ、とか死んだ、とかいう単語は日本人のものではなかった。その言い方の持つ雰囲気はむしろ親を亡くした私の気持ちにぴったりときた。

よく、お父さんの顔は知らないしお母さんは事故で死にました、と言うと、大変だったね、と言われる。死ぬことはとても珍しいことで、災難に遭ったかのような表情を浮かべて。でも、災難に遭うことは本当に稀《まれ》でも、死は稀ではない。ダリアのお母さんから出てくる死という言葉は、時差はあっても結局みんな死ぬ、ということをたっぷりと含んだがさつな表現で、私を温めた。南米の生活がそうさせたのだろう。

「あの子はね、虫の知らせがあったのかもしれません。その旅行に出る直前に、本当に急にね、ひな菊ちゃん元気かしら、って言い出したのです。店に来て、焼きそばを作って、あの味にどうしてもならない、って言っていた。それで、この包みを私に見せて、ひな菊の住所を、調べておいて、って私に言った。送りたいからって言っていた。でも、私は店が忙しくて、そのままにしていた。そして、ダリアは死んでしまった。あんまり友達はいなかったわ。あの子は。あなたがいやでなければ、この写真をもらってあげてください……。」

それからその手紙にはダリアの死について具体的なことが書いてあった。ダリアは、夏休みに、弟を連れて山の上の別荘に一足早く行った。ダリアの義理のお父さんが、貯金して新しく買った別荘だった。山の途中にあり、車ならすぐに海に行くことができる家だった。そなえつけの家具や暖炉もあった。今年のバカンスはそこで全員が過ごすはずだった。

前の持ち主が荒れ放題にしたままで売ったので、ダリアとお母さんは半年かけてそこに通い、掃除をし、食器や寝具を整え、夏にそなえた。

私が夢に見たのは、その荒れていたときの家のイメージだったのだろう。

ダリアは弟と手をつないで山道を渡っていて、車に軽くぶつかった。急ブレーキをかけたから本当に当たった程度だった。ダリアは転んでしりもちをつき、街灯の柱に頭をちょっとぶつけた。

ドライバーはダリアの無事を確認すると、そのまま走り去っていった。

ダリアと弟は別荘に帰り、ダリアの作った焼きそばを食べた。そして、ダリアは頭が痛いからちょっと横になる、と言って、二階に上がった。そしてそのまま夜になっても、夜中になっても、起きてこなかった。弟は様子を見に行って、ダリアが小さな客用ベッドで死んでいるのを見つけた。そして泣きながら家に電話をかけた…。

私はその家を知っていた。

ダリアは死ぬ前にきっとあの灰色の海を見たのだろう。

あのベッドに横たわったのだろう。あの固いスプリングを感じたのだろう。

そのときダリアの胃袋には焼きそばが入っていて、彼女が人生で最後に食べたのは焼きそばだった。

よく、そう言っていた。焼きそばを食べる度に、「世界が終わる日にこれを食べてもいい！」と、うちの店の白い皿をそのしっかりした指で支えながら。ダリアのことだから、そうとう具合が悪くても食べれば治るとばかりに

意地になって作って食べたのだろう。

私はその夜だけは心底、焼きそばを見るのが気持ち悪く、作りながら顔をそむけた。私の人生ではじめてのことだった。

ショックでぼうっとしてやけどしたりしながらもなんとかその夜を終え、遅くに来たおじさんに、片づけをしながら言ってみた。

「おじさん、ダリアが死んだんだって。」

「なんでまた。」

おじさんもびっくりした様子だった。

「交通事故みたい。」

私は言った。

「お母さんのことはよくおぼえてるよ。わりとワイルドな美人だったよなあ、駅前でスナックやってて、よくおまえをあずかってもらったよなあ。あの子もよく家に来てただろ？」

「そう。」

私はダリアの死に方を話した。

「そういう変わった、あっけない死に方、なんとなくわかる気がするよ。得体の知れない親子だったな、おじさんの印象としては。」

おじさんがＴＶを観ながら適当にコメントしたのは明らかだったが、その言葉は妙に的確だった。ダリアの家には生活感がまるでなかった。離婚とか移住とかいう言葉にも、現実味がなかった。

「おまえも、うちに住めばいいのに、遠慮しないで。」

おじさんが言った。

「いやなの、職場と家が一緒だと、緊張感が薄れちゃう。」

私は言った。

「そんなこと言って、よそに引き抜かれたりしないでくれよ。」

「習えば誰にでも焼けるよ、お好み焼きと焼きそばくらい。」

私は笑った。おじさんはそれが心配だったのか、とかわいく思った。

「いや、看板娘だから。」

おじさんは言った。誰よりも早くへらを操る、おじさんの手のひらは黒く、しわだらけだった。私もそういう手を持ちたかった。本当は知っていた。誰にでも焼けるものではない、早く、きれいに、おいしそうに焼くその手を見て育ってきた。

「誰も引き抜いてくれないし、看板娘と思っているのもおじさんだけ。」

そう言って笑い、私は立ち上がった。


店が終わって部屋に帰り鍵を隠してあったところをまさぐると、微妙に位置が変わっていた。私はすぐ店に鍵を忘れてくるからその習慣を持っていたのだが、これからは合い鍵を置くのはよそう、と思った。

なにか盗まれていないかと緊張して部屋に入ったが、特に変わったところはなかった。電気をつけると、新しいものが部屋にあった。高春が勝手に冷蔵庫を設置していたのだ。しかも電源が入っているので開けてみると、高春の店にあるような食べ物…冷凍ラザニアとか辛塩の鮭とか、のりの佃煮《つくだに》とか塩辛とか、そういったものがぎっしりと入っていた。

あーあ、と私は思い、ダリアの写真が入った袋を床に置いた。

部屋の中に新しいものが二つ増え、胸の痛みや喜びも増えた。

雨はしとしとと降り続き、この世の全てを静かに濡らしていた。

私は思った。かわいそうなんかではない、その死に方は、孤独でもなければ気の毒でもない。少しまぬけてはいても、みんなそうだから、特別ではない。私はよく子供の頃風邪で高熱を出してひとりでじっと寝ていたけれど、少しもかわいそうではないし孤独でもなかった。それと愛されていないこととは別だからだった。クラスにはそんなとき親が優しく看病してくれるような子もたくさんいたけれど、うらやましくもなかったし特別幸福そうというわけでもなかった。それと同じで、みんなそのときが来れば、汁を出したり、管を入れたり、変な音を出したりして、体を終わらせる。ダリアには少しそれが早く来ただけだ。まわりに誰かいなかったとしても、突然来てしまって驚いても、そのときが来てしまえば体のほうが納得する。

それでもダリアが最後にあの淋しい月の光の中で、私のことも考えたかと思うと、少し苦しかった。まるで恋をしているときにささいなすれ違いがあったかのように、雨の音がよりいっそう胸をしめつけた。後悔しているかのように、あの家の静けさが、月光が、潮の匂いがよみがえってきた。雨はアスファルトを洗い続けていた。私もまた雨に濡れているかのように写真ととも にじっと横たわっていた。

首の話

せめてもの供養に私はダリアのいちばん最近の日付の写真を壁に貼った。

ダリアが店でエプロンをして、お客さんと笑っている写真だった。

私の知っているダリアのままの、目と眉毛をしていた。あとはみんなすらりと伸びて、南米の陽ざしに育まれたその体は、ブラジル人みたいにきれいに黒かった。死にかけているのによく焼きそばをぱくぱく食べることができたなあ、と私は感動していたが、ダリアのくれたいろいろな写真を見ていたらわかる気がした。この写真の一枚一枚に必ず忍び込んでいる刺すような強烈な光、こんもりと繁った息苦しいほど濃い密林の色、夜の濃密な暗さ。ダリアのいたところでは自然が荒々しく色気を帯びて躍動している。きっとこの中では傷ついたとかもの悲しいとか言っていられず、人は焼きそばと死を

いつでも必ず同じ口で食べたり語ったりするのだろう。

同じように花の名前を持ち、成長して同じような仕事をしていたダリアのことを思うと、私の胸はまだ痛んだ。夜、電気をつけるとダリアの笑顔が迎えてくれる。もしももう少し大人になってから出会えば、もしもこんなに遠く離れていなかったら、一緒にお店をやったかもしれなかった。お互いの境遇を確認することもなく、死に別れた二人。

自分の、半分がいつのまにかなくなっていたような気がした。

なんの因果で、よく似た運命を持つこの子供たちは、地球の反対側に別れていったのだろう。そして死のときまで、夢で交流を続けていたのだろう。決めても、頼まれても、できることではない。なにか計り知れない独特な作用が働き、偶然にそうさせたに違いない。そして私がいつか死ぬときにも、きっと、私は、時空を超えてダリアと交流する、そんな気がした。なにか口に出さずに、そんな約束を交わしたのだろう。あの頃、あの幼い少女たちの魂は。

「冷蔵庫ありがとう。」

足りなかった干海老を追加注文しに行って、ついでに高春にお礼を言った。

「それから冷蔵庫の中身もありがとう。」

高春はどろぼうみたいなまねしてごめん、なま物が気になって、と言った。

夕方までお互いにひまだったので、高春の店の近所にある小さな喫茶店に遅いお昼を食べに行った。

「このツナおいしい。」

ツナサンドを頼んで私は言った。

「うちから卸してるんだ。」

高春は言った。

「この町を支配しているわね。あなたの店は。」

私は言った。

「いや、まだそこまでは。」

と笑いもせずに高春は言った。本気なのか、と私は愕然としたが、口には出さなかった。

午後は言葉もたくさん出てこないし、最も時間の流れが滞《とどこお》っているのを感じる。いつもいろいろなことから逃げ出したくなるのは、この時間だった。

夜も店があるから、遠くには行けない。まるでしばられているような圧迫感があった。その上お昼の忙しさの余韻が体に残っていて、けだるい。とても空が晴れていれば、公園に行って、鳥を見たりできるけれど、曇っているとどこに行く気もしない。この息苦しさの中にいつまでもいたら、窒息してしまう、そう思う。自分はなんでこんな苦しい時間を過ごしているのだろう。砂時計の砂が落ちるのをじっと見ているようだ。こんな繰り返しなら、人生はなんの色もないまま、同じように過ぎていくだけだ、どうせ店に行って、だるいまま、焼いて、焼いて、また焼いて、寝るだけだ…。

しかし夕方が訪れて、空が藍色になると突然目が覚める。ああ、ここにいた！　と気づく。それまでは悪い夢の中にいるようだ。彩り豊かなはずの私の人生は、深い海に沈んで単調な海流に洗われる船の残骸のように見える。母の残した夢にしがみついて毎日同じことをしているだけの人生に思える。

しかしあの、目が覚める感じもまた、毎回味わうに値する。何回繰り返しても毎日味わっても飽きることはない。絶対に気分が晴れるはずはないと思っているのに、夜がすとん、と降りてくるとその闇の力に日々の憂《うれ》いはかき消されてしまう。一日が夜という章の幕を開け、新しい舞台がはじまるようだ。

私が夢の中から「死体が」という言葉を発したのを、高春が聞きとっていたことを思い出した。それで、夢とダリアの話をした。

「不幸な死だったと思ってる？」

高春は不思議だね、とも、かわいそうに、とも気の毒に、とも言わなかった。ただ、そう質問した。

「多少は。だって、そんな、まぬけな死に方…。」

私は答えた。

「ただ、お互いに思っていたのに、会えなかったから。」

私は言った。

高春はしばらく黙っていたが、ふいに言った。

「俺の友達に、首が弱点の奴がいたんだけど。」

高春がまとまった話をすることは珍しかった。無口ではないのだが、長く話していることはあまりなかった。彼から聞いたいちばん長い話は、これまでのところ冷蔵庫に入っていた食材の賞味期限と調理法の説明だった。

「彼は、小学生のときに、階段から落ちて、首の骨をおかしくして以来、しょっちゅう首を痛めていた。二年に一回くらいかな。むちうちになったり、転んで人の家の柵に首がささったり、できものができて手術したり、犬に首のうしろをかまれたり、マフラーして歩いていたら、車に巻き込まれて首がしまったり。よく死なないな、とか、呪《のろ》われた首って呼んで、みんな笑っていたんだよ。」

「うそ。だって途中から、事故じゃない。首の骨がおかしいのと関係ないじゃない。」

「本当だよ。それで、去年、ついに死んだんだ。」

「首に関係ある死に方？」

「そう。親戚の家に遊びに行って、ひとりで釣りに行って、海で足をすべらせて。堤防から落ちて、首の骨を折ってしまった。みんな、葬式で、真顔で、やっぱり首だったな、そうだなって言い合った。悪いけど、ちょっと笑ってしまった。」

「たとえつくり話にしても、全然、なぐさめにならない。」

私は言った。

「でも、俺、首の事故と首の事故の間に何回もそいつに会っていて、いつか首のことで死ぬんじゃないか、そういう運命を持っているんじゃってわかっていても、やっぱり、一回でも多く会えて嬉しかったことがたくさんあるよ。首でなくても、心臓の病気とかさ、エイズとか、自殺とか、みんな同じじゃないかな。一回でも会うと、そのときにひとつ思い出というか、空間ができるでしょう。それはずっと生きている空間で、会わなければこの世に全くなかったもので、全く人間どうしが無から作ったものだから。ダムとか、ロケットとかと同じで、人と人がなにもないところから産み出した世界でしょう。天とか運命とかは、首の事故で彼を俺たちから奪うことはできても、あの楽しかった時間を奪うことは永遠にできないから、俺たちの勝ちだと思うんだ。勝ち負けではないんだけど。それに、そんな運命だって、悲しいといえば悲しいけど、俺たちが葬式で笑うことができたことも、よかったと思うんだ。

それだけ重なればもしかしたら首のことで死ぬんじゃないかって知っていても、死ぬまではわからないし。結局首を折って死んだけど、どうせだったら苦しみが少ないように早く死ねばよかったとは思わないもの。」

「それって、私の話になにかあてはまってる？」

「なんとなく。」

「そうかしら。」

「夢にまで見るほどの思い出を作ったからかな。」

「そうかもね。」

「それは、死ぬとか生きるとかよりも、尊いことだと思うよ。だって、生きていればいいってものでもないし、死んだら悲惨だということでもないじゃないか。でも、二人ともが、生涯心の支えにできるような思い出を作るのは、生きてさえいればできるってことじゃない。」

「それはそうだと思う。どちらにしてももう会えないし。…でも、今のつくり話？」

「違うって。疑り深いなあ。ちょっと待っててよ。」

と言って高春は携帯電話を出して、誰かに電話をかけて、

「…ちょっと、証明してくれよ。トシの事故のこと。そう、首の話。頼むよ。」

などと言い出し、そして電話を渡された。電話の向こうで全然知らない男の人が、

「本当ですよ。共通の友人で、首の骨を折って死んだんです。あんまり同じような事故が続くので、おはらいもしてもらったみたいですが、だめでした。」

と説明してくれた。

私はうなずいて電話を切り、

「信じた。」

と言い、つけ加えた。

「高春は、いい事業主になるわよ。」

「そうかなあ。」

彼は本気で照れていた。ばかばかしいから話題を変えようと思って、

「彼女とはどうなの？」

私はたずねた。

「うまく整いすぎていて、あんまり盛り上がらなかった。」

高春は言った。

「なに、それ。」

「だって、向こうはローマで料理の勉強してきて、俺はイタリアの食材の研究を今していて、どこから見ても結婚して店を継ぐのにぴったりの条件じゃないか。ところが、お互いにそのつもりで会っているのに、どうしてもそういう将来が浮かばなくて、話が進まなくてさ。向こうも向こうでローマに住

んでいる間に遊んできたみたいで、誰かいるみたいだね。」

「へえ、歳月は人を変えるね。サンドイッチもう食べられない、ひとつ食べて。」

私は言った。本当は少し嬉しかったが、絶対に顔に出さないようにした。私はお好み焼き屋を経営したいのであって、食品店のオーナー夫人の座を全く狙《ねら》っていなかったからだ。先のことはわからない。私は、今日も店に行って、汗をかいて働くだろう。ダリアが死んでも、それは続いていく。

「塩ふってないだろうな。」

「ふってない。」

「じゃあ、食べる。」

「だいたいあなたの結婚願望とか、安定志向が若いのに変なのよ。」

「そんなつもりもなかったんだけど、向こうが店を手伝うために勉強してくるって言ったから。」

「そんなのイタリアに行きたかっただけに決まってるじゃない。ばかね。」

「そうかな。」

「そうよ。なんだか、あなたの話のせいで、首が痛くなっちゃった。」

「俺も、あいつのこと考えると、いつも、首がひやひやっとして、なにか巻きたくなる。手ぬぐいとか、マフラーとか。」


もしも私と彼がつき合うようになったり、別れるようになったら、この話は二人の歴史に「首の人」というタイトルで刻まれるだろう。二人が無から産み出したその空間に、その首の人もダリアも等しく存在する。それどころか母も林もお好み焼きも焼きそばも笛の音もあの崖の上の家さえも。人生とはなんとだいそれたものだろう。それでも私の人生全部さえ、その人が首の事故から首の事故までの間に過ごした美しい幕間《まくあい》と大して変わりないかもしれない。

空がしだいに赤くなってきた。もうすぐ、夜が降りてきて目が覚める。私は雲のすきまから光の筋がいくつも出て他の雲を照らしている様を見ていた。西日は金色になって、世界を満たしていく。濡れていた舗道はきらきらと光り、水をたっぷりと飲んだ木々の緑は、なまめかしい色をどんどん濃く重ねて育ってゆく。

私はダリアのお母さんに手紙を書き、最近の私の写真を一枚送った。店にいるときにお客さんが撮ってくれた写真だった。

「友達らしく、似たような人生を歩んでいました」という文を添えて。

ある夏の午後、郊外にある母の墓にお参りに行った。墓参りというのはすぐ終わってしまうもので、時間があまったので久しぶりに誰もいない林の中を歩いた。そのうっそうとした緑の中を歩き出したら突然、林の感じがよみがえってきた。林はいつも思ったよりも汚く、いろいろな虫が歩いていて、じめっとしていて、濃い草の匂いが入りまじっていて、石があるからいつも

ひな菊の人生

下を向いて歩く。それでもたまに上を見ると、木々の枝のすき間からはうす青い空の色が見えて、光が降り注いで茶色の地面が金色の縞《しま》模様に見える。

そういえばこうだった、と私はひとり言を言い、痛い腕を伸ばして深呼吸をした。そうだった、林の中を歩くときはいつも足元を見ていて、虫を踏まないように気をつけた。とかげや、みみずや、亀虫や、小さな蛙や、蟻を見つけたものだった。私の小さな足、ダリアの小さな足、子供の汗の匂い、草や枯れ葉を踏む感触。土をけって走る気持ち。光が顔に当たるときのダリアの顔。全てもまた林の持つ力によって生々しく思い出し、私はダリアのためにはじめて一粒だけ涙を流した。

私という箱には、私が想像できる全部のものごとがつまっている。

誰に見せることもなく、誰にも話さなくても、私が死んでも、その箱があったことだけは残るだろう。宇宙の中にぽっかりと、その箱は浮かんでいて、ふたには「ひな菊の人生」と書いてあるだろう。

あとがき

子供の頃、となりの貴美子ちゃんと私は、本当にたて笛でお互いを呼び出していました。曲は「いかりを上げて」でした。窓辺でその曲を吹くと、木々のかげにある向かいの窓からやがて貴美子ちゃんがひょっこり顔を出しました。その光景は、幸福なものとして、今も目に焼きついています。

この小説は私の中でも異色なものですが、絵の力に負うところが大きいと思います。いつも強く奈良美智さんの絵をイメージして書きました。奈良さんはこの小説をいっしょに書いてしまったと言えるほど、たくさんの力をくれました。どうもありがとう！

中島英樹さんのデザインはいつも、私の作品をお色なおし以上の高いところに一段ひき上げてくれます。彼を尊敬しています。とても光栄です。ありがとうございました。
そしてこの小説は、この人がはげましてくれなければ決して形にならなかったでしょう。『ひな菊の人生』をロッキング・オンの佐藤健さんに捧げます。

吉本ばなな

あとがき

ばななさんから原稿をもらって、いろんなシーン、そのイメージを絵にしてみた。どこまでばななさんの思うイメージに近づけたかはわからないけど、僕の頭の中に浮かんだものには限りなく忠実だ。僕にとって初めてのコラボレーション的な作品で、描きあげたばかりの挿絵を、メールにくっつけたりFAXで彼女に送ったのを思い出す。それが中島さんのレイアウトで印刷物になり、残るものとなった。

この本の表紙には『ひな菊の人生』と印刷されるのだろうけど、僕は心の中で『ひな菊と僕の人生』と呼んでいたい。

ばななさん、ありがとう。

この絵たちを、今この世に生きているたくさんのひな菊とダリアたちに捧げます。

2000年8月19日　多摩川の花火の夜に

奈良美智

文庫版あとがき

後にならないとわからないことは沢山ある。

①この小説は奈良くんの絵の高いレベルに自分をひっぱりあげて書いた。

②ダリアのモデルはその頃しか会えなかったある女の子、チハルちゃんだ。会いたいけど、私はチハルちゃんの名字も知らない。人生は切ないです。

③この小説が愛おしい。そうとう好きな作品だ。

なので、文庫になって嬉しいです。読んで下さってありがとうございます。

２００６　冬　　よしもとばなな

この作品は二〇〇〇年十一月ロッキング・オンより刊行されたものです。

幻冬舎文庫

●好評既刊
マリカのソファー／バリ夢日記 世界の旅①
吉本ばなな

ジュンコ先生は、大切なマリカを見つめて機中にいた。多重人格のマリカの願いはバリ島へ行くこと。新しく書いた祈りと魂の輝きにみちた小説＋初めて訪れたバリで発見した神秘を綴る傑作紀行。

●好評既刊
日々のこと
吉本ばなな

ウエイトレス時代の店長一家のこと。電気屋さんに聞かされた友人の結婚話……。強大な「愛」がまわりにあふれかえっていた20代。人を愛するように、日々のことを大切に想って描いた名エッセイ。

●好評既刊
夢について
吉本ばなな

手触りのあるカラーの夢だってみてしまう著者のドリームエッセイ。笑ってしまった初夢、探偵になった私、死んだ友人のことなどを語る二十四編。夢は美しく生きるためのもうひとつの予感。

●好評既刊
パイナップルヘッド
吉本ばなな

くすんだ日もあれば、輝く日もある！「必ず恋人ができる秘訣」「器用な人」他。ばななの愛と、感動、生き抜く秘訣を書き記した50編。あなたの心に小さな奇蹟を起こす魅力のエッセイ。

●好評既刊
SLYスライ 世界の旅②
吉本ばなな

清瀬は以前の恋人の喬から彼がHIVポジティブであることを打ち明けられた。生と死へのたぎる想いを抱えた清瀬はおかまの日出雄と、喬を連れてエジプトへ……。真の友情の運命を描く。

ひな菊《ぎく》の人生《じんせい》

吉《よし》本《もと》ばなな

平成18年4月15日　初版発行
令和7年6月30日　3版発行

発行人——石原正康
編集人——宮城晶子
発行所——株式会社幻冬舎
〒151-0051東京都渋谷区千駄ヶ谷4-9-7
電話　03(5411)6222(営業)
　　　03(5411)6211(編集)
公式HP　https://www.gentosha.co.jp/
印刷・製本—中央精版印刷株式会社
装丁者——高橋雅之

幻冬舎文庫

ISBN4-344-40782-2　C0193　よ-2-12